Ilustración de cubierta: Pat Olliffe y Brian Miller
Diseñado por: Jason Wojtowicz

ISBN: 978-84-15343-19-6

Publicado por The Walt Disney Company Iberia, S.L.
C/José Bardasano Baos, 9
28016 MADRID

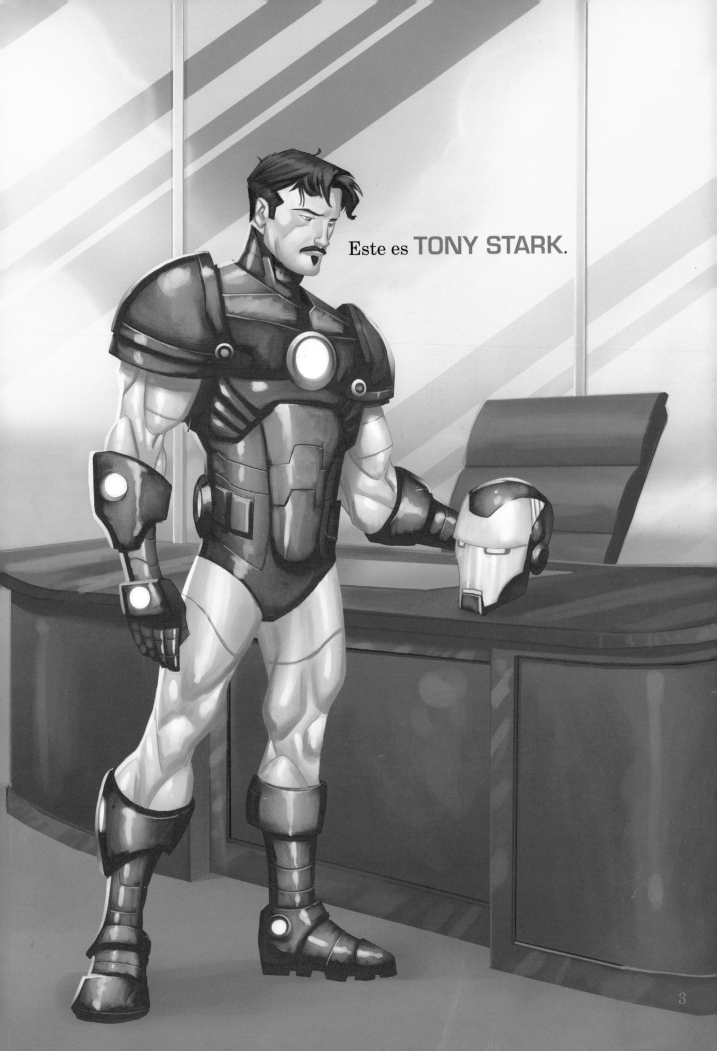

Este es **TONY STARK**.

Tony es un tipo normal como tú o como yo,
pero con **mucho más dinero**.

Cuando se pone su traje especial se vuelve
más **poderoso** que cualquier persona.

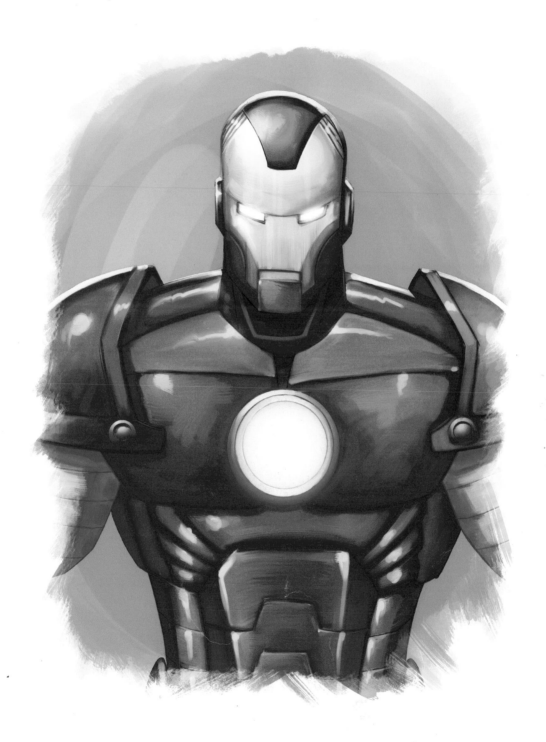

Incluso se llama a sí mismo de una forma diferente:

¡EL INVENCIBLE IRON MAN!

Pero Tony no nació siendo un superhéroe.

No siempre ha luchado
para **proteger** a la humanidad.

Aunque, con **tanto malvado suelto**, como **Titanium Man** o **Iron Monger** –que usan la tecnología de Tony para sus propios planes maléficos–,

¡Tony considera que su responsabilidad es detenerlos!

Él no lo tuvo siempre tan fácil.

Ni tan sencillo.

Hace tiempo, la armadura de Tony
no estaba tan pulida.

De hecho, cuando se convirtió en Iron Man,
¡su armadura **ni siquiera brillaba!**

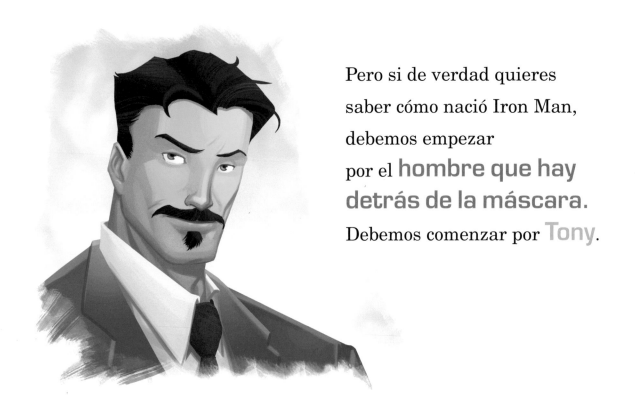

Pero si de verdad quieres saber cómo nació Iron Man, debemos empezar por el **hombre que hay detrás de la máscara.** Debemos comenzar por Tony.

Él tenía tanto dinero que podía ir allí donde deseara.

Le encantaba divertirse.

Y adoraba disfrutar de las cosas buenas de la vida.

Pero Tony también trabajaba duro.

Era un brillante inventor.

Tenía todo tipo de conocimientos sobre la ciencia.

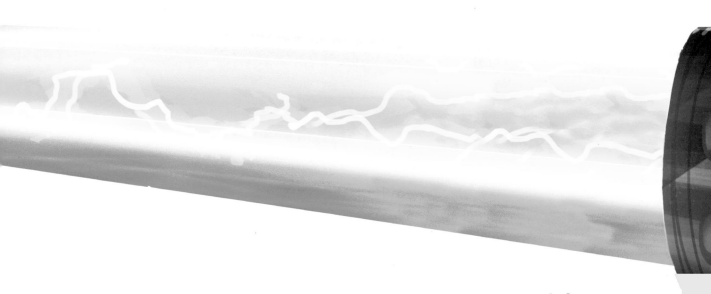

Le encantaba trabajar con campos magnéticos.
Con ellos creó una poderosa fuerza energética
que llamó rayo repulsor.

Los militares estaban interesados en las investigaciones de Tony.
De hecho, fue en un laboratorio secreto del ejército
donde su vida cambió para siempre.

Un ejército enemigo lanzó
un ataque y Tony resultó
gravemente herido.

Como Tony era famoso, fue reconocido de inmediato.
El enemigo conocía todos sus inventos.

Le encerraron en una celda equipada con aparatos electrónicos y mecánicos. Querían que creara para ellos una poderosa arma.

Para empeorar aún más las cosas, antes de meterle en esa diminuta celda, le comunicaron que su corazón había resultado herido con la explosión.

No le quedaba mucho tiempo de vida.

Poco tiempo después, Tony descubrió que no estaba solo en la celda.

Sus adversarios también habían capturado a otro famoso científico:

EL PROFESOR YINSEN.

Querían que los dos hombres trabajaran
juntos en una gran arma de destrucción.

Ambos **trabajaron sin descanso**
para crear algo que salvara la vida de Tony...

Finalmente, terminaron un artefacto que Tony siempre
debería llevar sobre el pecho para que su corazón no dejara de latir.

Pero eso no fue **todo** lo que crearon.

Tony se puso la armadura…

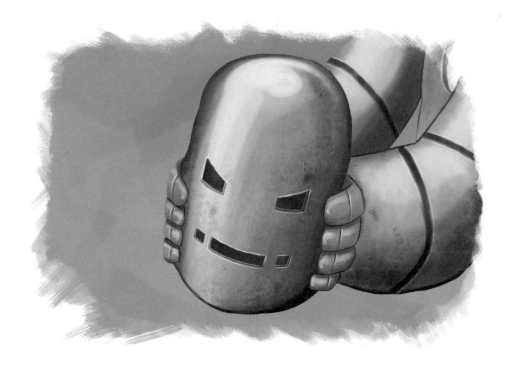

... y demostró que no había muros capaces de retener a ¡IRON MAN!

El enemigo tardó poco
tiempo en comprender…

... que estaba disputando una **batalla perdida de antemano**.

Tras **escapar de la prisión** y salvar
al Profesor Yinsen, Tony regresó a su hogar.

En cuanto llegó comprendió que ahora podría
ayudar allí donde otros no llegaban.

¡Tony al rescate!

Era fuerte, imparable, ¡TERRORÍFICO!

Tal vez demasiado **terrorífico**.

Entonces, Tony
tuvo una idea.

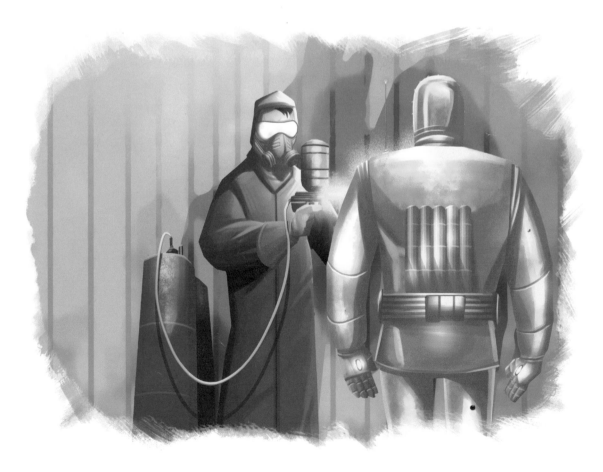

¡Eso es!
Así estaba mejor.

Casi perfecto.

De vuelta a la mesa de dibujo.

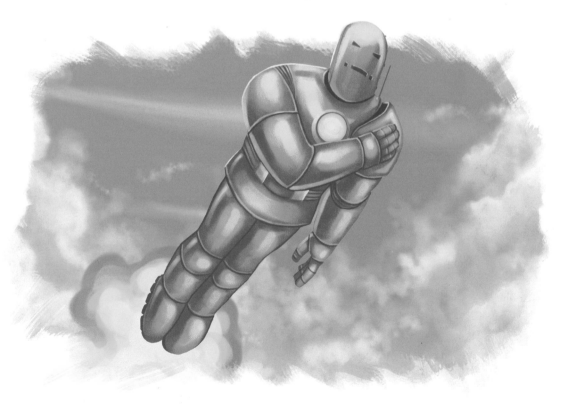

Tony pensó que Iron Man necesitaba algo tan **pulido y estiloso** como él.

Debía crear un
traje más ligero.

Lo único que necesitaba era que la **placa de su pecho continuara unida** a su corazón para que éste no dejara de latir.

Cambiaría todo lo demás.

¡Y así nació un nuevo Iron Man!

En su faceta de Iron Man, Tony nunca deja
de **proteger** a personas de todo el mundo.

Y cuando no está luchando
por la justicia como Iron Man...

... Tony dirige su empresa,
Industrias Stark.

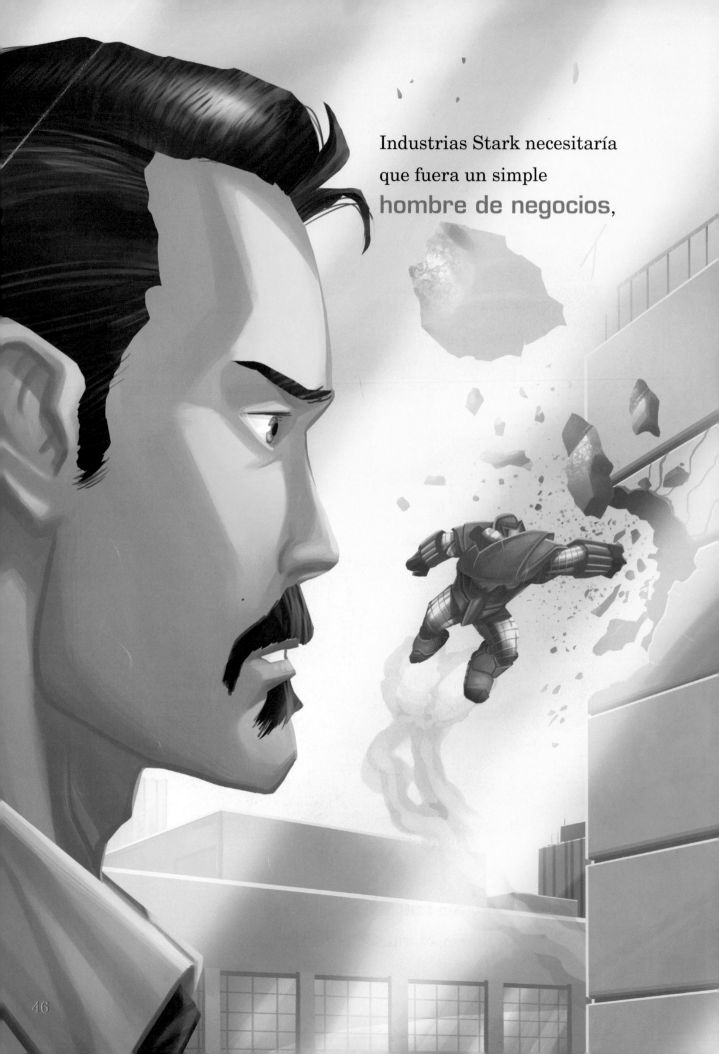

Industrias Stark necesitaría
que fuera un simple
hombre de negocios,

pero con tantos malvados atacando

a diario, el mundo necesita que Tony sea...

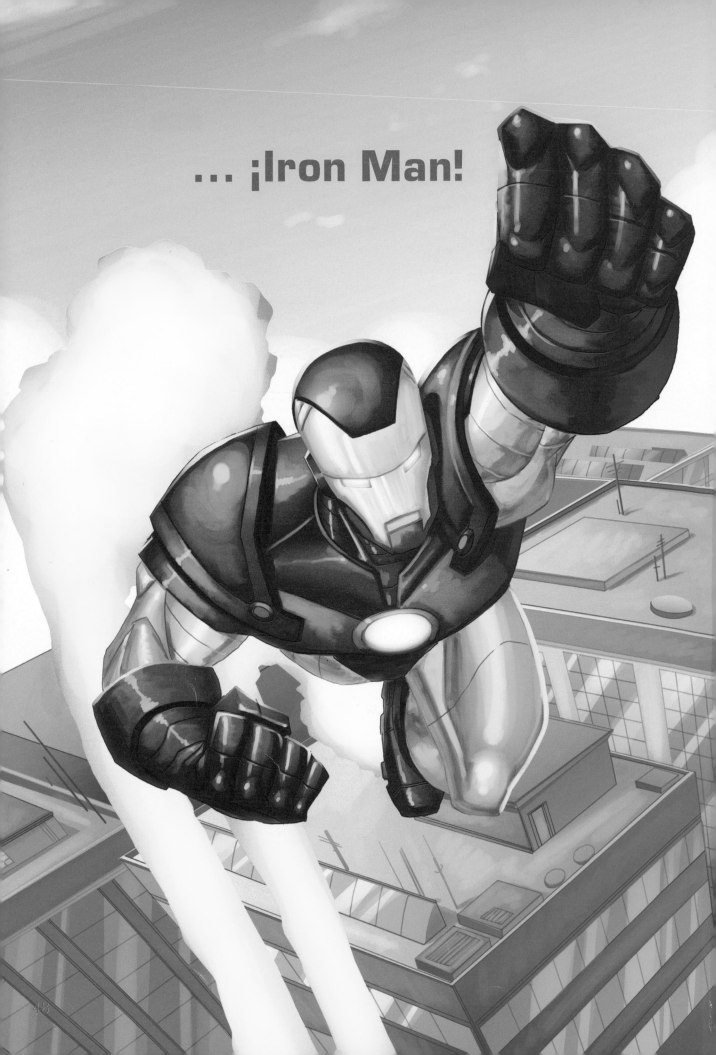